LEEVI LENTOLISKO

Leevi Lentolisko ja muita runoja

Teksti *Tuula Pere*
Kuvitus *Outi Rautkallio*
Taitto ja ulkoasu *Peter Stone*

ISBN 978-952-357-397-0 (Hardcover)
ISBN 978-952-357-398-7 (Softcover)
ISBN 978-952-357-399-4 (ePub)
Ensimmäinen painos

Copyright © 2021 Wickwick Oy

Kustantaja Wickwick Oy
2021, Helsinki

Kirjan runot *Naamiaiset, Mamman villakoira, Remontin kourissa, Sieniä sateella* ja *Pullasorsan kaukokaipuu* ovat aiemmin ilmestyneet runokirjassa **Iloinen tilkkutäkki** (Wickwick, 2010, ISBN 978-952-5878-06-6). *Runot Matolla Persiaan, Setä tapiseeraa, Taivaanrannan maalari* ja *Pingviini-isän neuvot* ovat ilmestyneet runokirjassa **Sillisalaatti** (Wickwick, 2012, ISBN 978-952-5878-68-4)

Leevi Lentolisko
ja muita runoja

TUULA PERE · OUTI RAUTKALLIO

WickWick
Children's Books from the Heart

2

NAAMIAISET

Ovi auki, juhlat alkaa!
Sisään astuu yhtä jalkaa
mohikaani, pelikaani,
intiaani, paviaani
sekä itse Tsingiskaani.

Peikonpoika, pikkunoita,
kylläpä on juhlijoita.

Herkut syödään, roskat jää.
Kuka jaksaa järjestää
joskus vielä juhlat moiset,
joissa nähdään puvut toiset?

4

SININEN VARIS

– Ei varis voi olla sininen
sanoi kärpänen. – Kai sinä ymmärrät sen!

Jäi varis yksin miettimään,
miten muut saisi asian ymmärtämään.

– Mitä väliä sillä on kenellekään,
jos joku on sininen väriltään?
Hyvin kantavat siipeni juuri näin,
kun lennän sinistä taivasta päin.

Vaan sininen varis matkallaan
tuskin koskaan kohtaa kaltaistaan.
Mutta seuranaan sinistä kukkaa monta,
ei kulkunsa ole lohdutonta.

KISSANPÄIVÄT

Kissanpoika pikkuinen
suuhun noukki kärpäsen.
Nopsaan saaliin nielaisi,
viikset pyyhki, suoristi.

Sitten sisään suunnisti,
emon luokse kiirehti.
Painui lämpöön kainalon.
– Hyvä tässä olla on!

MAMMAN VILLAKOIRA

Hellan duudeli,
pikku puudeli
mamman oma kulta.

Anna tassu
pikkunassu,
leikkaan kynnet sulta.

Hae tohveli,
ota vohveli,
palkkioksi herkku.

Sitten kaupunkiin
koirasalonkiin,
tulee vierailulle serkku.

Otsatukkaa sentti
päällä permanentti.
Turkki verraton.

Mamman hauva
oma vauva
lellilapsi on.

Matolla Persiaan

Vilkas mattokauppias
oli myyjänä kohtelias.
Tiesi matosta kaiken päältä ja alta.
Hinta tuntui kuitenkin kamalalta.

– Ei tuijottaa kannata moiseen.
Nämä periytyy polvelta toiseen.
Ja kun tästä suunnasta katsotaan,
se silkin saa suorastaan loistamaan!

Ostaja silitti varoen maton pintaa
ja unohti ajatella sen hintaa.
– Ehkä innostuu tästä koko perhe,
ei panostus silloin voi olla erhe.

Jatkoi myyjä: – Ei miettiä kannata,
onhan solmuja ainakin miljoona.
No niin, herra, matolle vaan,
pian lennätte Persiaan.

PELOKAS MAJAKANVARTIJA

Majakanvartija saarellaan
tutkaili tuulensuuntaa.
Mies oli kovasti huolissaan
ja pakeni piiloon puun taa.

Mikä neuvoksi nyt, kun myrskysää
oli vienyt mieheltä järjen.
– Tahdon heti pois, en tänne jää!
Koko majakan muuten särjen.

Ei poistunut viereltään hetkeksikään
vanha laivakissa Molla.
– Aallonmurtaja suojaa rannan tään,
hyvä meidän on kahdestaan olla.

Tuuli tyyntyi ja matkaan lähdettiin.
Purjevenettä ohjasi Molla.
Pian miehen järki löydettiin,
se lepäsi karikolla.

– Viekää pois, ja viekääkin sukkelaan!
sanoi hopeakylkinen särki.
– Ei sovi se minulle ollenkaan,
erilainen on kalalla järki!

Eukon kukka

Eukko kasteli aamuisin outoa kukkaa
ja kutoi sen vieressä päivät sukkaa.
Kukkaa ihmeteltiin joukolla pienessä talossa
iltaisin kirkkaan lampun valossa.

– Mitä nuppu outo paljastaa,
kun se lopulta joskus aukeaa?
– On ehkä kukan sisällä rahaa,
ei muutama lantti tekisi pahaa!

Näin mietiskeli pienen talon väki,
jonka hämmennyksen outo kukka näki.
Se hautoi sisällään salaisuutta,
oli tulossa jotain aivan uutta.

Ei tullut rahaa, ei koruja, kultaa.
Vaan sata siementä, jotka multaa
pian peittivät ympärillä talon
ja imivät sisäänsä auringonvalon.

Kasvoi niistä jälleen sata kukkaa,
jotka koristivat kauniisti nurmennukkaa.
– Tuli ainoastaan silmänruokaa,
eukko hieman pettyneenä huokaa.

Tuuliviiri ja naakka

Istui katolla metallikukko, jolla oli jalassa lukko
ja mielensä aivan musta.
Sai seurassa naakan pois turhan taakan
ja mieleensä lohdusta.

Kukko peltinen tiesi kyllä sen,
ei katolle lennä kanat.
Auttoi ystävä hyvä, kun huoli oli syvä,
ja löysi oikeat sanat.

– Sä olethan tuuliviiri, ja silloin elämänpiiri
on melko lailla kapea.
Jotain kyllä keksitään, kun ruvetaan miettimään.
Ei kannata olla apea.

– Sulta saranat rasvataan. Saadaan elämä luistamaan.
Voit katsella länteen ja itään.
Vielä akselin suoristan, ruostetta rapsutan.
Pian huolta ei ole mitään!

SETÄ TAPISEERAA

Kyllä setää sapetti,
loppui kesken tapetti.
– Huone puoleenväliin jää,
miten hoituu homma tää?

Nyt on pulma suuri.
Kauppa kiinni juuri
meni kello kuusi.
Mistä rulla uusi?

Kohta kuivuu liisteri
sekä liimapensseli.
Apu heti tarvitaan.
Pannaan hihat heilumaan.

Pian setä keinot ties',
tämä kekseliäs mies.
Mieleen tuli oiva niksi
lastenhuoneen tapetiksi.

Sivut vanhan aapisen,
tietokirjan pölyisen
sekä lahjapaperit.
Niistä saadaan tapetit.

20

Lasten autokorjaamo

Lasten autokorjaamolla
kova kiire on.
Huollettava autonrähjä,
tapaus toivoton!

Penkki pelkkä pullokori,
ovet kallellaan.
Miten tällä rakkineella
päästään ajamaan?

Mekaanikot taitavat
tekee hyvää työtä.
Homman kyllä hoitavat,
loppuun ennen yötä.

Nallevaari ajelulle
mukaan otetaan.
Leikin jälkeen untenmaille
kaikki ajetaan.

Raivoisa kokki

Keittiössä huutaa kokki
– Tästä tuli pelkkä floppi!
Kakun mausta puuttuu potku,
tulos yksinomaan sotku.

Kaksin käsin ruokaa mättää,
roskat, rippeet jälkeen jättää.
Tavat riittämättömät,
seuraukset ikävät.

Uuniin vielä pelti jää
savu huoneen hämärtää.
Pian sireeni jo soi
palokunnan apuun toi.

– Ei saa olla liian hoppu,
muuten tulee kurja loppu.
Palomies näin opettaa,
kokin puuhat lopettaa.

23

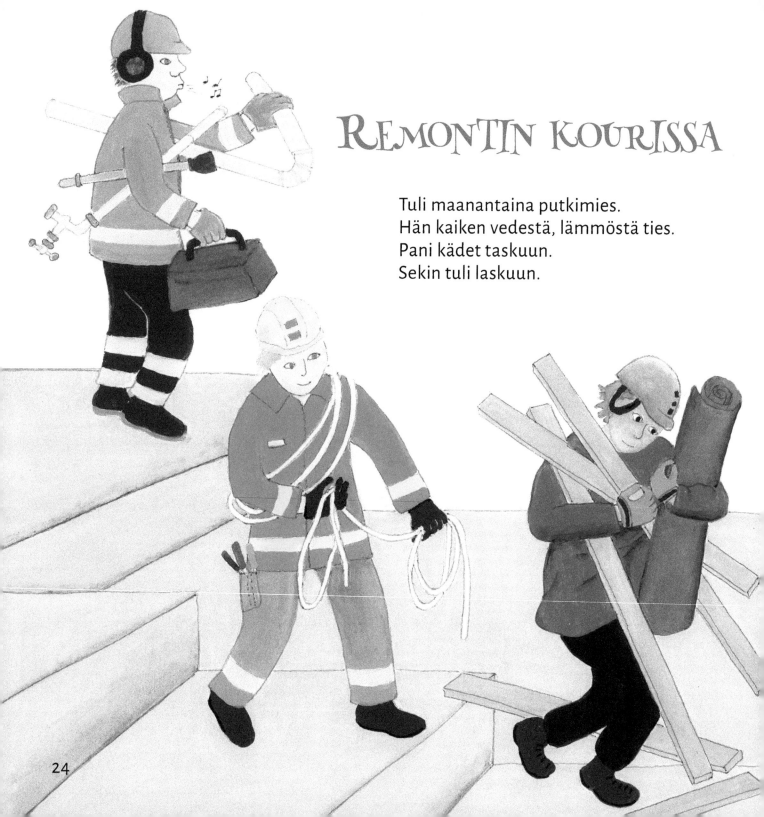

REMONTIN KOURISSA

Tuli maanantaina putkimies.
Hän kaiken vedestä, lämmöstä ties.
Pani kädet taskuun.
Sekin tuli laskuun.

24

Tuli tiistaina sähkömies.
Hän kaiken kojeista, laitteista ties.
Piuhat, kaapelit peittivät pihaa.
Syötiin illalla kylmää lihaa.

Tuli keskiviikkona parkettimies.
Hän kaiken puulajeista ties.
Oli auki lattiat, osassa pahvit.
Juotiin parvekkeella kahvit.

Tuli torstaina maalari
päällään haalari.
Ja märän maalin pintaan
tuli kärpäset samaan hintaan.

Vaan perjantaina oli hiljaista kovin,
vaikka odotettiin miehiä pitkän tovin.
Eipä haittaa tuo,
perhe mummon luo.

– Saadaan löylyt siellä ja lämmintä ruokaa,
näin äiti ja isä onnesta huokaa.

– Eipä meillä nyt huolen häivää.
Vähän levätään ennen arkipäivää.

PIKKU MERIKARHU

Merikapteeni nousee upeaan laivaan
ja suuntaa katseensa ääriin taivaan.
On kannella seurassaan nalle ja kettu
ja eväänään äidin paistama lettu.

Matka jatkuu, ei päiviin rantaa näy.
Vähiin ruokavarastot laivassa käy.
Keula aaltoja kyntää, ja aavalla tuulee.
Mitä myrskyn keskellä kapteeni kuulee?

– Nyt syömään lapset, on ruokaa täällä,
ja varokaa pannuja hellan päällä!

Silloin sopivasti ja hetkessä aivan
löytää kapteeni sataman, ankkuroi laivan.
Saa maailmanvalloitus odottaa.
Äiti tarjoilee kalaa ja perunaa.

– Hyvin ehditään vielä huomennakin
kauas Afrikkaan ja takaisin.

LASTEN KESÄKAHVILA

Tulkaa kaikki katsomaan
kahvilamme avataan.
Muovikupit pinosimme,
ruokalistan kirjoitimme.

Vanhat joululautasliinat
äiti leikkiin antoi,
autotallin perukoilta
isä pöydän kantoi.

Asiakkaat jonoon tähän,
täytyy odotella vähän!
Tarjouksessa tänään mehut.
Pullanpaistaja saa kehut.

TAIVAANRANNAN MAALARI

– Se on siinä, sanoi maalari päällään haalari
ja painoi pensselit santaan.
Hän kyllästyi hommiin ja nukkui pommiin.
Suoraan painui ongelle rantaan.

Aika hulivili! Tuli lopputili.
Kesti lomaa viikon ja kaksi.
Tyhjän lompakon voima suuri on,
ryhtyi kadunlakaisijaksi.

31

SIENIÄ SATEELLA

Syksyn tullen kuusikossa
sienet kasvaa heinikossa.
Saappaat jalkaan, kori käteen
kiipeämme metsämäkeen.

Pienet sienet tiensä löytää
meidän perheen ruokapöytään.
Kuuma pannu, siihen voita.
Paistetaan näin vahveroita.

Kultainen on kanttarelli
parempi kuin karamelli.
Älä edes palaa pientä
maista pahaa kärpässientä!

PINGVIINI-ISÄN NEUVOT

Piti pingviini puhetta pojalleen:
– Vielä herrasmiehen mä sinusta teen.
Kun otat oikean asenteen,
et palellu edes pakkaseen.

– Kun on ryhtisi hyvä ja pääl läsi frakki,
sua kunnioittaa kyllä koko sakki.
Ja jos päässäsi vielä on järkeä,
olet aidosti muillekin tärkeä.

35

PULKKARALLI

Mäen laella aivan vierekkäin
ajokilpaan valmistautui näin
kaksi lasta toppahaalarit yllä.
Riitti heillä intoa kisaan kyllä!

Ajopelien alla roimat
mylvivät hevosvoimat,
sillä rallikuskeiksi tahtoivat
nämä vintiöt molemmat.

Ei malttanut toinen, vaan varkain lähti.
Hän tahtoi olla se suurin tähti
ja ensiksi maalissa olla.
Siitä selvitty ei sovinnolla!

Ei lopuksi soineet kansallislaulut.
Lumi lensi, ja kastuivat naamataulut.
Kohta painiottelu oli loppu
ja rallikuskeilla syömään hoppu.

PULLASORSAN KAUKOKAIPUU

Kaislat taipuu, rantaan tuulee
Sorsa talven tulon kuulee.
Mietteisiinsä lintu vaipuu.
Mielen täyttää kaukokaipuu.

– Kunpa joskus minäkin
Niilin rantaan pääsisin.
Minareetit, moskeijat
virran pintaan peilaavat.

Ruokaa riittää, lämmin on
kesäaika loputon.

Pyryyn haaveet haihtuvat,
mielikuvat vaihtuvat.
Jähmettyy taas järjenjuoksu,
mielessä vain kesäntuoksu.

Taivas vihmoo lunta,
ihmiset ja eläinkunta
värjöttelee talven alla.
Tähdet tuikkii taivahalla.

Leevi Lentolisko

Leevi Lentolisko oli iloinen
otus reilusti satakiloinen.
Oli serkkunsa Amanda toista maata,
et hienompaa liskoa kohdata saata.

Kas Amanda monikielinen
oli hoikka ja ylimielinen.
Se kampasi huolella hulmuharjaa
ja maisteli sievästi pihlajanmarjaa.

– Voi Leevi raukka, puuttuu tyyli sulta,
voisit hyvin mallia ottaa multa.
Näin Amanda keskittyi aivan muuhun,
kun Leevi kauhoi innolla ruokaa suuhun.

Ei ollut Leevillä mihinkään hoppu.
Vasta sitten, kun ruokansa oli loppu,
se kääntyi Amanda-serkun puoleen:
– Ei sulla syytä ole huoleen.

– Ei minua arvostele muut,
ja usein kohtaan nauravat suut,
kun vien ystävät selässäin ajelulle.
Sopii tällainen elämä hyvin mulle.

41

CPSIA information can be obtained
at www.ICGtesting.com
Printed in the USA
BVHW021007030821
613530BV00020B/517

9 789523 573987